[illegible]얀 밤 하얀 숨

공저산문집

월간 듣는 시

하얀 밤 하얀 숨

2023 월간듣는시 공저산문집

ISBN | 979-11-985139-9-1

발행일 | 2024년 3월 1일

초판인쇄일 | 2024년 3월 1일

저자 | 강물, 김정애, 백채혁, 예도하, 이학윤, 정길임, 한정빈

책임편집 | 박소담

펴낸곳 | 출판사 고잠

출판사등록 2022년 6월 23일 (제2022-26호)

홈페이지 https://gojambook.creatorlink.net/

전자우편 gojamboook@naver.com

인스타그램 @gojambook

한정빈
정길임
이학윤
예도하
백채혁
김정애
강물

고잠

✦

✦

백
채
혁

일상에서 문득 와닿는 순간을
부족한 언어로 담으려고 합니다.

다시, 밤

하루가 찾아온 밤의 시작
그림자는 길어진다

두 손은
새가 되어 날아오르기도
악어가 되어 입을 찢어보기도 하며
마음껏 살아 본다

고갤 숙여 거꾸로도 서 봤다가
몇 걸음 더 걸어 작은 그림자
어린아이도 되어 본다

달빛 그림자에게 맡긴 내 모습은
자유자재
구름이 달을 가리면 이 춤도 끝이 난다

하루가 찾아온 아침의 끝
그림자는 짧아지고
다시 밤을 기다린다

봄비

봄이었지,
모르게 온 계절은 떠나간 후에 깨닫는다.

우산을 쓰고 걷는 길
바닥에 나뒹구는 벚꽃잎을 보다
한 켠에 스민 아쉬움

집 앞에서 펼쳐진 우산과 마음을 말린다.

아직 떠나가기 싫은
우산 위 분홍 꽃잎들

봄아,
잠시 머물렀다 가거라

육지의 결말

괜찮다

머릿속을 비우면 된다
어떤 파도가 덮쳐와도
육지는 되돌아간다

정말 괜찮다

한 번 파도가 지나가고
준비 없이
두 번째 세 번째 파도가
잡아먹으려 해도

괜찮은 척이 아니다
절대 무너지지 않는다
오히려 찾아오는 이들을
반겨줄 뿐

허무하게도 무너져내린다
벅차도록 지켜왔던 모래성이
어린아이의 발짓 하나에

그 순간
파도에 온전히 나를 맡긴다

바다가 흘러가는 대로
잠시
자유로운 유영
다시 육지로 되돌아갈 걸 알기에

작별 인사

나의 우주엔
수많은 별들이 있다

찬란히 빛나는 별
빛을 잃어 소멸하기 직전의 별
너무나 좋아하지만
밝게 빛날 수 없는 별
모르는 새 빛나던 별

어린 시절,
별 하나가 떠나가는 순간을
부정했다
이 별 하나와 이별하면
우주가 무너질 듯해
떠나가는 별을 온몸으로
끌어안았다

물리적 시간 속에선
별의 생명이 연장됐지만
물리적 공간 속에선
이미 떠나간 후였다

두 개, 세 개,
수만 개의 별을 보내며
이별의 깨달음을 얻은 지금

담담히 나의 별에게
수고했다는 말과 함께
작별의 인사를 건넨다

✦

작가의 '우산'

비를 피하기 위해 나무에 폈던 벚꽃을 보지 못하게 하는 동시에 지나왔었던 꽃잎을 깨닫게 하는 매개체입니다. 우리는 앞만 보고 달려오다 주변의 소중했던 모습들을 못 본 채 지나오곤 합니다. 시간이 지난 뒤 그 시절 순간을 회상하면 조금 더 여유롭게 즐길 걸 하고 아쉬움이 남곤 합니다. 잠시나마 그 시절로 돌아갔을 때 그 순간에 젖어 들기를 바라는 마음이 담겨 있습니다. 우산이 그 역할을 해 줄 거라 믿습니다.

✦

당신의 '우산'

강

물

난 좋아해요. 당신의 걷는 모습을
난 좋아해요. 당신의 말하는 모습을.

강산이 변해도 기억할 테니
흐르는 강물 속에서 쉬었다 가기를.

기억 정거장

세찬 겨울비
숨 고르는 비둘기 한 떼와
하릴없이 서성이는 젊음이 고인
정거장

담배 연기 쓴맛이 인생일까
알 수 없던 날.

미욱한 마음만이 남아
가뭇없게 찾아 헤맨 날.

마지막 기차가 지나갔다.

소녀

곱게 빚어져서 세상에 온 아이야
*감나무*도 *배나무*도 너를 위한 *꽃이 피네*

기억하렴
모든 것은 너만의 색으로 담긴
*팔레트*가 될 거야
문득 강물에 비친 모습에
*손닿고 이탈*하자고 했어

계속 높아지는 *언덕* 위에서 쉬다가
*연리지*를 찾아보기도, *정든 개울* 지나
빨강 머리 앤의 초록 지붕도 보곤 했어

나의 바람은 너의
아침은 늘 눈부시게
*그의 푸른 나라*에서도 밝아오길

오늘은 볼프강 괴테도 되어 본다
갈색 머리 그 소녀

하나의 길에 새긴 발자국.

갈 길이 멀어서
먼저 닦아둔다.
두려움, 눈물까지도.

길을 잃은 것도
길을 찾을 이유도
모두 하나였기에.

오늘 만나지 못해도
내일 만날 수 있다면
결국은 찾게 될 쉼

혼자 걸었던 길은 이제
그림자마저 안는다.

하나의 길이 열린다.
누군가 걸어온다.

하나의 발자국을 새긴다.

2023년 어느 늦은 밤
(4월 이야기)

달이 차오르면
해가 뜰 때까지
시답지 않은 얘기들로
밤하늘 별을 보며 꿈꿨던
한 잔의 바람,

그 기억을 불러오던 그 날밤.

보았지.

세속적이지 않은 그 마음을.
잠시 멈춘 방황 속 미소를.
치열하게 살아온 눈동자.
허락하지 않은 시간조차
잊게 하는 밝음으로
상실의 아픔을 꺼내는 용기도
시간 앞에서 언제나 부끄럽게 만드는
한 사람도 있었지.

4월의 이야기
나답게 만드는 시간

아쉬워 벌써 12시.

괜찮아.

때로는 하얀 거짓말.
위로할 수 없는
외로움이 찾아오네.

솔직히 모르겠어.
어느 정도, 얼마만큼
보여야 하는 건지.
나조차 어려워.

양날의 검 앞에 맞설
용기가 없어
늘 방패를 쥐고 있네.

그 단념은 또 묻지 못했지.

그래서 말인데,
솔직히 말하자면.

사랑 하나

오래전
사랑을 노력하는 게 말이 되냐는 물음에
해 줄 수 없는 것들이 많아
늘 휘청거렸지만
우리라는 이름을 위해 노력하겠다고

사랑 two

그러니까
행복 하자 우리, 아프지 말고
내가 할 수 있는 최고의 말

번외편
(천하무적 이효리)

언제나 빛나는 당신은
고민하지 말라고 말해.

하나, 둘, 셋, 넷

다시 만난 서울에서
숨고 싶던 그곳에서
그리움 꺼내 보고

언제라도 친구가 되어주겠다는

당신이 걸어온 그 길
이발소 집 앞에서
잠시 멈춰 보지

시간이 가도 그대로
나 또한 되돌아보는 길

1998년 5월 화면 속 그 얼굴
내리는 비처럼
멈추지 않을 거라는 걸

10분 안에 알았지.
이미 알고 있었지!

지금 이곳에 있는
hey girl, hey mr.big
같은 마음이겠지.

쉬지 않고 난 계속 달려가

오늘 밤 어떤 클럽에선

변하지 않는 당신과
뜨거워진 사람들의 주고받는 딥터치
은밀해진 눈빛들의 주고받는 딥싸인

행복했던 밤.

나비잠

좋은 꿈을 꿨어요.

우리가 나눈 이야기들
비밀로 할 거예요.

눈물도, 미소의 의미도.

당신에게 가는 비밀번호
알려주세요.

오래오래 깨고 싶지 않아요.

좋은 꿈이 되어줘서 고마워요.

✦

작가의 '길'과 '발자국'

하나의 발자국은 몇 사람이 걸은 자국일까요?
하나의 길은 몇 사람을 위한 길일까요?

많은 이가 걸었던 하나의 길, 발자국이 될 수도 있지만 비슷한 길을 걷는다고 해도 개개인에겐 하나의 길일 것 같아요. 결국은 유일한 하나의 길과 한 사람의 발자국으로 표현될 것 같습니다.

✦

당신의 ‘길’과 ‘발자국’

한
정
빈

2023년 4월.
비를 머금은 골목을 지나 맞이한 시간들,
좋아하는 곳에서 시작하는 계절의 공기는
더욱 반가웠다.

봄

핑크빛 바람, 햇살을 머금은 벚꽃 물결
내 마음을 환하게 비춘다

그것들이 눈처럼 쏟아지는 순간
내 마음이 벅차오른다

차가운 눈의 계절까지도
그리워하겠지

지나간 봄 너머
여전한 기다림으로

기다림

캄캄한 터널을 지나고 있다 해도
그림 같은 풍경처럼 기다리고 있을 테니,

순간은 과정의 밑거름이 되어
찬란하게 핀 꽃처럼 반짝이게 할 테니,

차가운 계절 지나
따스한 봄이 찾아오고

뜨거운 계절 지나
선선한 가을이 찾아오듯

기다린 너를

뒤를 돌아보면

바람처럼
스쳐 지나가는 시간

돌아보면
다르게 적힌 기억

그림자가 드리운 것들은
끝없이 나와 돌아보게 하네

더 오랜 시간 지나면
모든 순간 다 소중했다고

후회하던 찰나의 나를 화해하고
그 순간마저 아름답게 추억하기를

그렇게
저물어가는 내 인생
오늘 저 아름다운 석양 같기를

보통의 하루

울리는 경적소리 만큼
바쁜 눈빛들 사이

구름에 빗질을 한 듯한 하늘이 비추어
고개를 들어 눈에 담았다

구름의 결을 따라 흘러가던 시간

어느덧 사람들 얼굴에 걸린 분홍색 노을빛

해가 지고 차오르는 달

기대어 책을 읽자
그러다 보면 곧 걷고 싶어지겠지

좋은 바람이 불어 한참을 걸어온 순간
밤하늘엔 별이 쏟아지고 있었다

✦

작가의 '밑거름'

밑거름은 '캄캄한 터널'의 다른 말 같아요! 과정 없는 결과 없고, 어떤 경험을 하던 그 사이에서 분명 얻는 것들도 있기 때문이에요. 저에게 캄캄한 터널은 왔을 수도, 곧 올지도, 앞으로 닥쳐올 수도 있겠지만 너무 두려워하지 않으려고요! (안 올 수도 있고요!)

✦

당신의 '밑거름'

이

학

윤

깊은 눈동자에서 길어 올린 검은 돌덩이에
끌과 정을 들어 항아리를 조각하고 있습니다.
쩡, 쩡, 쩡,
언젠가는 저 달을 닮으리라 믿습니다.

해빙

어정어정 거닐은 철학자의 길.

천천히 떼는 시선 따라 걸음 따라
간신한 그림자의 세계에
툭,
툭,
피어나는 움틈

동면을 마치고 일어나라는 샛노란 속삭임.

Bloomy Sunday

바람이 불지 않는다.
바람이 불지 않는다.

꿈을 안고 닻을 올렸다
습득한 기술에는 자신이 있었다
지구의 자기장이 요동치고
물려받은 나침반이 고장 나기 전까지는.

해류의 엇갈림으로 무풍지대에서 헤메이니
이곳은 검은 바다
오가는 고기 하나 없다.
미이라가 유령선에서 손짓한다.

그신 듯이 구멍정으로 배를 이어 노 저으니
이곳은 미답의 바다
춤추는 고래 무리가 반짝인다.
한 줄기 바람에 돛을 펼친다.

가만히 가만히
바람을 타자,
바람을 타자,

투명한 길

02시에 일어나 종점으로
6411번을 타고서 강남으로

어제도 가고 오늘도 갈
나의 길 투명한 길

대마초가 피고 제비가 날고
아가씨가 웃고 바람이 나고

나의 길은 언제나 투명한 길
오늘도......내일도......

02시에 일어나 종점으로
6411번을 타고서 강남으로

*윤동주의 〈새로운 길〉을 각색한 작품입니다.

Discoverer

얼어붙은 전란의 시대

정찰위성 실험기가 발사되는데
기술자들은 휴가 계획으로 시끄럽고
조국의 안위보다 중요한 것이 있으랴
사명을 다짐하고 궤도에 진입하는데
렌즈에 비친 지구는 푸르르고
금을 긋기에는 너무도 자그맣지 않느냐

더 가까이서 보고 싶다
이 한 몸 불타오를지라도

아들아 저기 별똥별에 소원을 빌어보렴

대양에서 수거된 위성의 잔해에는
함박 웃는 아기의 필름이 담겨있었다

*Discoverer: 1960년대 초반 미국에서 극비리에 추진된 정찰위성 개발 프로젝트입니다. 짧은 임무를 마치고 낙하한 위성을 수거해 필름을 확보했습니다. 약간의 궤도이동 기능이 있었습니다.

✦

작가의 '검은 바다'

검은 바다는 깊고, 우울하고, 생명이 살지 않는 사각지대로 범선이 움직일 수 없는 장소입니다. 바람을 만날 때까지 노를 저어서 탈출한 곳은 미답의 바다로, 활기가 가득한 새로운 장소입니다. 두 장소는 물이 수증기가 되듯 괴로움을 직면하고 노력을 통해 승화하는 관계를 맺고 있습니다.

✦

당신의 '검은 바다'

정
길
임

시인에게 시는 '숨쉬기'와 같다.
들숨과 날숨의 조화로움 속에서
내면의 자신을 만나고 이해하고, 용서하고,
사랑하는 성찰의 과정이다.
더 나아가 시의 말은 우주와 생명에 대한
끊임없는 '말 걸기'이다.
소통 없이 시가 될 수 없으며,
소통 없는 외로움도 존재하지 않기 때문이다.

간이역

후락한 벤치의 햇살은
처음처럼 따뜻하다
녹슨 레일과 웃자란 잡초가
짧은 굴절을 이루며 희미해진다

하늘의 타래를 붙잡고
웅숭깊은 등의 한 여인
헤어짐으로 더욱 돈독해진 사랑,
그것이 전부였던 생애

서로 눈감지 못한 곳,
간이역의 햇살은
오늘도
봄처럼 연연하다

연산홍

도무지 알 수 없는 시간
우주 밖의 사연
영겁의 세월을 돌아
봄이란 계절을 품어냈네
길모금을 지날 때마다
마주한 연산홍
멈칫 멈칫,
떠나지 못하는 발걸음
새하얀 서러움
꽃들마다 붉은
살아서도 죽어서도
에이는 너는
노란 나비 나빌레라
한참을 서서
바라보네

짙은, 어둠

파래진 어둠 속으로
방안 가득 들어선 달그림자
창백해진 발등을
그 위에 얹네
실핏줄 내비치는
외로움의 틈새
마냥 포기하고 싶었던
목숨, 목숨들…
창밖의 달을
끝내 보지 못했네
아주 잠깐
짙은 어둠이 평화로울 수 있다면
그 너머의 세상
낮보다 눈부실
달을 상상했네

대나무 숲에서

대나무 숲에서 통곡한 적 있다
인간으로 태어난 슬픔을
처음으로 원망하며
생명 씨앗
앗아가 달라
애원하며
토해져 나오는 오물을
대나무 숲에
버리고 왔다

지금도
대나무 숲에 가면
낯설지 않은
그때 그 울음
서러운
마디마디로
자라고 있다

외로움의 더께

그대와 마주한
짧지 않은 나날들
평생을 각인한
매일의 믿음이었네

서로가 재촉한 이별 도장은
오월의 장미처럼 뜨거웠고
서로의 등이 바라본
넋이 나간 외눈박이

그대가 떠난 집은
어두워지고, 나사가 빠지고
머리가 깜깜해졌네
하릴없이 걷던
강가의 산책도 끊었네

마침내
나는 나의 방에 나를 가두고
침묵의 형벌을 묵인하였네
비로소 내 인생이 되돌아온 느낌이었네

강가의 물풀들이

헝클어진 머리를 털며
한곳을 향하여 쓰러질 때
나는 버림받은 여자처럼
그 곁을 떠나지 못했네

깃털처럼 가벼워진
외로움의 더께 위로
어둠 속의 돌을 얹고 얹어도
나는 금세
날아오를 듯
날아오를 듯
창백해져 갔네

나에게 쓰는 편지

캄캄한 우주 건너
창백한 푸른 점
지구라는 별에 와
서툰 발걸음으로
하얀 눈길을 밟던
눈이 맑은 아이야

가난한 옥상에 올라
각각의 색으로 반짝이던
은하수 너머의 별들을
고개를 꺾고
받아먹던
순수하던 아이야

이제 그만
눈물을 그치렴
괜찮다는 말은 하지 않을게

눈에 보이는 것보다
눈에 보이지 않는 어둠 속에서
너를 닮은 꽃을 피워내렴
너를 닮은 빛으로 빛나보렴

맑고 순수하던 아이야

✦

작가의 '검은 바다'

검은 바다는 깊고, 우울하고, 생명이 살지 않는 사각지대로 범선이 움직일 수 없는 장소입니다. 바람을 만날 때까지 노를 저어서 탈출한 곳은 미답의 바다로, 활기가 가득한 새로운 장소입니다. 두 장소는 물이 수증기가 되듯 괴로움을 직면하고 노력을 통해 승화하는 관계를 맺고 있습니다.

✦

당신의 '검은 바다'

김
정
애

푸른 하늘 아래에 핀
고흐의 아몬드 나무 그림을 좋아합니다.

새로운 시작을 상징한다고 전해지는 그 그림은
잊지 못할 마지막 순간을 뜻할지도 모릅니다.

무의미

멈춰버렸다.
그날 그 자리에.
모든 시간들이
무의미해졌다.

그날의 하얀 눈
아름답게 포근한 세상은
차갑고 축축한 감각
한낱 질척임뿐.

그저 모두
무의미해진다.

내 삶
내 모든 의미
나를 채우고 더한 너

너를 떠나보낸 후에야
무의미해지고서야
깨우친다.

너와 피어난 시간들이
져버리고 시든다.

그리움이라는
유일한 의미로 향한다.

미로

이제
나의 앞에
너는 없어

나의 뒤에만
네가 있고

미로 속을 헤매고
어둠 속을 걸어도
두렵지 않던 날들
함께했던 날들

어린아이 같은
너의 투정도
미움도
미소도
나의 유일한 위로였지

난 나를 잃었어
두려운 미로 속에
갇혀버렸어

이제
나의 앞에
나도 없어

나의 뒤에만
네가 있으니

✦

작가의 '그리움'

'무의미'라는 표현을 통해 삶과 사랑의 '의미'를 전달하고 싶었습니다. '그리움'이라는 감정이 단순한 슬픔보다, 아름다운 사랑의 연장선이길 바랍니다. 삶과 사랑이 한 덩어리인 것처럼 말입니다.

✦

당신의 '그리움'

예
도
하

머물러 있지 않고 강을 건너갑니다.
세상의 모든 사람은 예술가라고 믿습니다.

그저 제자리

때 이른 벚꽃이 앉은 아침
무거운 마음 일으켜

발걸음
내린 플랫폼
비어있는 눈동자 사이
비집고 자리
잡아 두 발자국

도망가도 제자리
그저 도망자리

덜, 컹.

마음 무게만큼
흔들리는 차창
흘러넘치는 연분홍빛
억누를 수 없는 마음

눈을 감아도
마냥 빈자리

밤 I

밤아,
더 깊고 길게 늘어져라

꼬리에 꼬리를 문
자책이 투영 속에서 불어나노니

가슴 속 응어리
불꽃처럼 쏘아 올리련다

짙은 어둠아,
품은 것들이 바스러질 때까지
힘껏 늘어져라

밤 II

쏘아 올린
마음의 옹이

밤의 변덕에 튕겨 나오네

오늘도 끝끝내 박히지 못하네

넘어간다
찰나의 밤

까만 언덕 위로
자책들만 나뒹굴 수밖에

달팽이 편지

성긴 부슬비
흙 내음 위안 삼아

위로의 마음으로
당신에게 느린 편지 할게요

가장 예쁜 편지지
닳고 닳은 키 작은 연필

작금의 애정과 미움
눈물 대신 눌러 담아

아린 마음이라
훗날 당신이 보듬을 때

그랬었지라며
수고했어라며
잔잔한 미소 되길 바라요

별빛 나그네

나는
별을 수집하는
별빛 나그네

끝끝내 도달한
세상의 끝

산꼭대기
가장 빛나는 마지막 별

영근 땀방울이 연신 맺힌다
젊음의 생기가 구슬 속에 비친다

한 줌 쉼도 아까워
거친 숨을 거푸 내쉬며
발걸음 거듭 재촉한다

일렁이는 감정 마지막 순간 한껏 부풀어 올라
눈꺼풀로 터질 것 같은 마음 힘껏 눌러 담는다

마침내
그의 눈과 인사하는

가장 반짝이는 세상 끝의 별,
궁극의 이치!

★

그러나
그의 투박한 발아래
가장 빛나던 별을 떠받치고 있는
별빛 바다의 향연

무너지는 마음 뒤로하고
야속한 밤바람
뜨거운 숨소리만 식히고는 사라진다

그 자리에 주저앉아 눈물을 터뜨린다
누군가 찾아와 별빛 바다를 완전히 몰아낼
때까지

타오르는 태양 밤을 삼킨다
별빛 바다와 가장 빛나던 별을 삼킨다

그가 밟았던 자취를 따라 사라질 때까지
나그네는 허망한 하늘을 바라본다
바라보고 바라본다

별빛 바다와 가장 빛났던 별
또다시 밀물처럼 밀려온다

☆☆☆☆☆☆☆☆☆☆☆☆☆☆

별빛 나그네는 길을 나선다

수집한 별 하나씩 꺼내어
별빛 바다를 건너는 길을 만든다

그래, 나는
별빛 바다에 그림을 그리는
별빛 나그네

오늘의 별로
내일의 수를 놓으려고
나는 별빛 바다를 건넌다네

눈 맞춤

아무도 사랑하지 않는다
아무도 사랑할 수 없다
아무도 사랑해서 안 된다

겁에 질린 눈동자
맞닿은
서늘한 유리에 갇힌
흔들리는 투영

어쩌면,
눈시울이 붉어지도록

사랑한다
사랑할 수 있다
사랑해야만 한다

이야기

나에게는 비밀이 많습니다.

지칠수록 쓰여진 이야기를 읽고
기운이 날수록 내뱉은 이야기를 듣습니다.

홀로 암흑 속에서 길을 잃지 않으려고
함께 살아가려고 한줄기 이야기를 부여
잡습니다.

길을 잃었던 아이는
일기장 한편의 비밀로 새로운 흔적을 남기게
되겠죠.

나에게는 비밀이 많습니다.

나의 많은 비밀이 모여
글이 되고 그림이 되고
이렇게 터놓을 수 있는 이야기가 됩니다.

그래서 나에게는 이야기가 많습니다.

하트는 도화지에 없다

흰 도화지를 꺼내요

한 획마다
피어날 당신의 미소를 생각하면
나도 미소가 지어지죠

함께한 시간 배경 삼아
당신이 좋아하는 색을 섞어
나의 상상력을 덧칠하면

하나, 둘, 셋!
소중한 당신에게 주고 싶은
내 마음이 나타난답니다

하트는 도화지에 없어요
당신을 그리는 나의 미소만 있답니다

✦

작가의 '웅어리'

나를 다시 단단하게 하는, 나를 더 나답게 만드는 감정입니다. 까마득한 밤이었다가도, 그 속에서 반짝이는 별이 되어 만나지기도 합니다. 모든 것을 알고 싶지만 스스로 무지함을 자꾸 깨닫고, 삶의 시야를 바꾸고 배우며 새로운 길로 나아갈 수밖에 없는 마음가짐이기도 합니다.

✦

당신의 '응어리'

✦

'하얀 밤 하얀 숨'은
2023년 월간듣는시 작가님들의
시와 함께한 시간입니다.

하얀 마음으로 담은
감사와 사랑을 함께 남깁니다.

진행 및 책임편집,
2024, 박소담.